VIEILLES CHANSONS

ET

DANSES

POUR LES PETITS ENFANTS

l'école des loisirs
11, rue de Sèvres, Paris 6ᵉ

© 1980, l'école des loisirs, Paris
Loi numéro 49 956 du 16 juillet 1949 sur les publications
destinées à la jeunesse : mai 1980
Dépot légal : avril 1994
Imprimé en France par Aubin Imprimeur à Poitiers

VIEILLES CHANSONS

POUR LES PETITS ENFANTS

avec accompagnements de Ch. M. Widor

ILLUSTRATIONS PAR M.B. DE MONVEL

PLON-NOURRIT
ET Cⁱᵉ
Imprimeurs-Éditeurs

A PARIS

8, rue Garancière

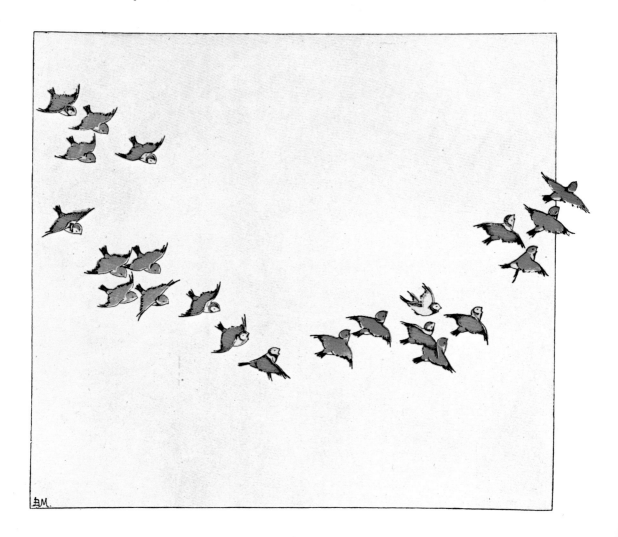

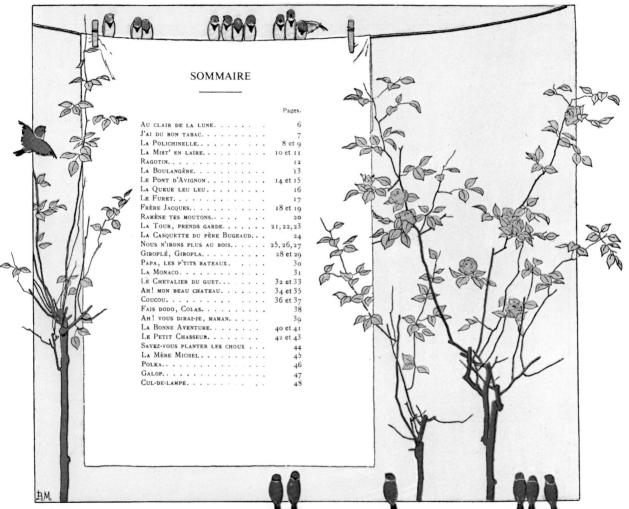

SOMMAIRE

Moderato.

CHANT.

Au clair de la lu _ ne, Mon a _ mi Pier _ rot,

PIANO.

Prête-moi ta plu _ me. Pour écrire un mot. Ma chandelle est mor _ te,

Je n'ai plus de feu; Ouvre-moi ta por _ te Pour l'amour de Dieu.

Au clair de la lune
Pierrot répondit :
Je n'ai pas de plume,
Je suis dans mon lit.

Va chez la voisine,
Je crois qu'elle y est,
Car, dans sa cuisine,
On bat le briquet.

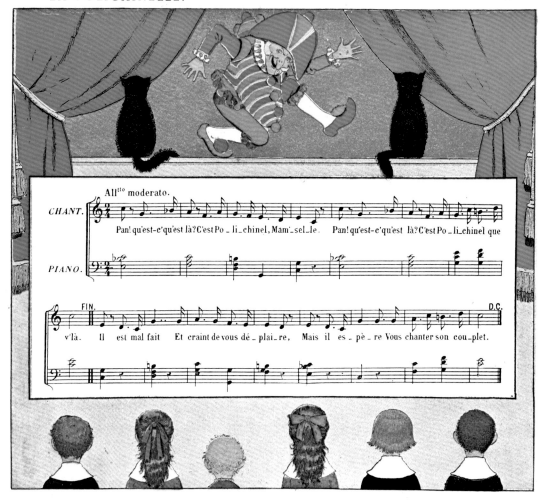

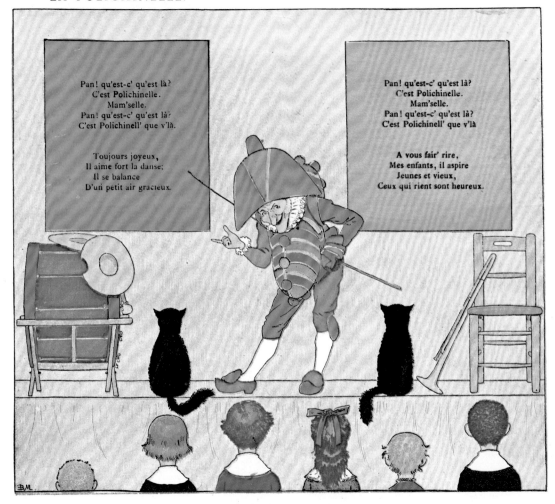

Pan! qu'est-c' qu'est là?
C'est Polichinelle.
Mam'selle.
Pan! qu'est-c' qu'est là?
C'est Polichinell' que v'là.

Toujours joyeux,
Il aime fort la danse;
Il se balance
D'un petit air gracieux.

Pan! qu'est-c' qu'est là?
C'est Polichinelle.
Mam'selle.
Pan! qu'est-c' qu'est là?
C'est Polichinell' que v'là

A vous fair' rire,
Mes enfants, il aspire
Jeunes et vieux,
Ceux qui rient sont heureux.

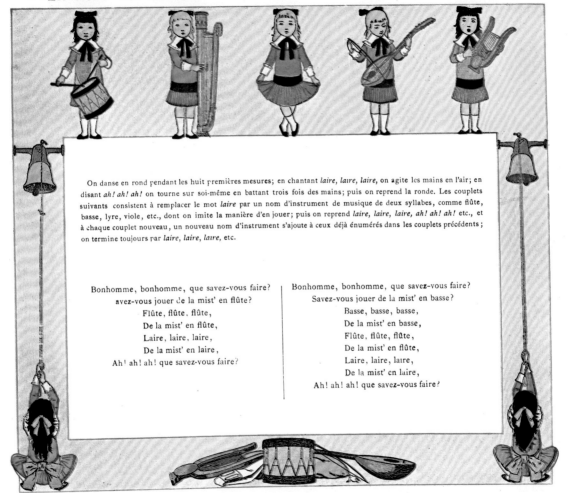

On danse en rond pendant les huit premières mesures; en chantant *laire, laire, laire,* on agite les mains en l'air; en disant *ah! ah! ah!* on tourne sur soi-même en battant trois fois des mains; puis on reprend la ronde. Les couplets suivants consistent à remplacer le mot *laire* par un nom d'instrument de musique de deux syllabes, comme *flûte, basse, lyre, viole,* etc., dont on imite la manière d'en jouer; puis on reprend *laire, laire, laire, ah! ah! ah!* etc., et à chaque couplet nouveau, un nouveau nom d'instrument s'ajoute à ceux déjà énumérés dans les couplets précédents; on termine toujours par *laire, laire, laire,* etc.

Bonhomme, bonhomme, que savez-vous faire?
avez-vous jouer de la mist' en flûte?
Flûte, flûte, flûte,
De la mist' en flûte,
Laire, laire, laire,
De la mist' en laire,
Ah! ah! ah! que savez-vous faire?

Bonhomme, bonhomme, que savez-vous faire?
Savez-vous jouer de la mist' en basse?
Basse, basse, basse,
De la mist' en basse,
Flûte, flûte, flûte,
De la mist' en flûte,
Laire, laire, laire,
De la mist' en laire,
Ah! ah! ah! que savez-vous faire?

Les enfants se tiennent les uns derrière les autres et chantent en se balançant en mesure pour imiter l'ivresse de Ragotin.

Allegro.

CHANT.

Sur le pont d'A _ vi _ gnon, L'on y dan _ se, l'on y

PIANO.

FIN.

dan _ se; Sur le pont d'A _ vi _ gnon, L'on y dan _ se tout en rond.

D.C.

Les beaux‐mes‐sieurs font comm' ça, Et puis en‐cor comm' ça.

En chantant : *Les beaux messieurs font comme ça,* on imite du geste le salut des beaux messieurs,
puis on reprend le refrain.

LE FURET DU BOIS JOLI.

On forme un rond en tenant une corde nouée des deux bouts. — Sur cette corde glisse un anneau qu'on fait courir de main en main, en cherchant à le cacher à l'enfant qui est au milieu du rond et qui cherche à le prendre.

On fait une ronde. L'une des jeunes filles chante seule les deux premiers vers; au troisième, elle quitte la main de sa voisine de droite, et, se plaçant devant sa voisine de gauche, lui prend les deux mains; les autres enfants doivent passer en chantant le refrain sous l'arc qu'elles forment en tenant leurs bras élevés.

LE CAPITAINE ET LE COLONEL

CHANT.

Allegretto

La Tour, prends garde, la Tour, prends garde de te laissera _ bat _ tre.

PIANO.

Deux enfants figurent la tour en se tenant par la main — Le colonel et le capitaine se promènent autour d'eux en chantant. Le duc est assis plus loin, avec son fils à côté de lui; ses gardes l'entourent.

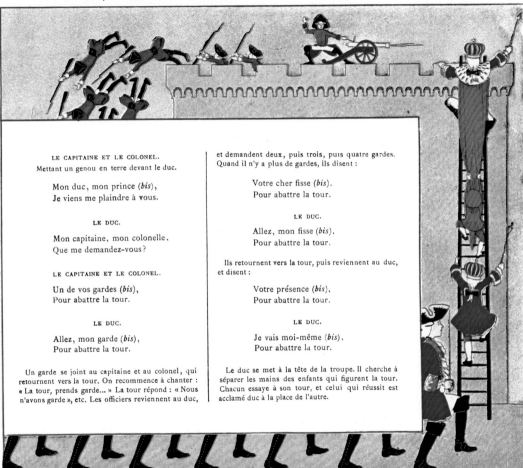

LE CAPITAINE ET LE COLONEL.
Mettant un genou en terre devant le duc.

Mon duc, mon prince (*bis*),
Je viens me plaindre à vous.

LE DUC.

Mon capitaine, mon colonelle,
Que me demandez-vous?

LE CAPITAINE ET LE COLONEL.

Un de vos gardes (*bis*),
Pour abattre la tour.

LE DUC.

Allez, mon garde (*bis*),
Pour abattre la tour.

Un garde se joint au capitaine et au colonel, qui retournent vers la tour. On recommence à chanter : « La tour, prends garde... » La tour répond : « Nous n'avons garde », etc. Les officiers reviennent au duc,

et demandent deux, puis trois, puis quatre gardes. Quand il n'y a plus de gardes, ils disent :

Votre cher fisse (*bis*).
Pour abattre la tour.

LE DUC.

Allez, mon fisse (*bis*),
Pour abattre la tour.

Ils retournent vers la tour, puis reviennent au duc, et disent :

Votre présence (*bis*),
Pour abattre la tour.

LE DUC.

Je vais moi-même (*bis*),
Pour abattre la tour.

Le duc se met à la tête de la troupe. Il cherche à séparer les mains des enfants qui figurent la tour. Chacun essaye à son tour, et celui qui réussit est acclamé duc à la place de l'autre.

Mais les lauriers du bois, les lairons-nous faner ?
Non, chacune, à son tour, ira les ramasser.
    Entrez dans la danse, etc.

Non, chacune, à son tour, ira les ramasser.
Si la cigale y dort, ne faut pas la blesser.
    Entrez dans la danse, etc.

Si la cigale y dort, ne faut pas la blesser.
Le chant du rossignol la viendra réveiller.
    Entrez dans la danse, etc.

Le chant du rossignol la viendra réveiller,
Et aussi la fauvette, avec son doux gosier.
    Entrez dans la danse, etc.

Et aussi la fauvette, avec son doux gosier,
Et Jeanne, la bergère, avec son blanc panier.
    Entrez dans la danse, etc.

Et Jeanne, la bergère, avec son blanc panier,
Allant cueillir la fraise et la fleur d'églantier.
    Entrez dans la danse, etc.

Allant cueillir la fraise et la fleur d'églantier.
Cigale, ma cigale, allons, il faut chanter !
    Entrez dans la danse, etc.

Cigale, ma cigale, allons, il faut chanter,
Car les lauriers du bois sont déjà repoussés.
    Entrez dans la danse, etc.

A chaque couplet, on fait entrer dans la ronde un enfant. Au couplet suivant, un autre enfant vient le remplacer, et ainsi jusqu'à ce que tous les enfants soient entrés dans la ronde l'un après l'autre.

Un enfant au milieu de la ronde chante le solo; — les autres enfants lui répondent en chœur. —
Le solo et le chœur alternent jusqu'à la fin.

SOLO

Donne-moi-z'en donc une,
Giroflé, girofla :
Donne-moi-z'en donc une,
L'amour m'y compt'ra.

LE CHŒUR.

Pas seul'ment la queue d'une,
Giroflé, girofla :
Pas seul'ment la queue d'une,
L'amour m'y compt'ra.

SOLO.

J'irai au bois seulette,
Giroflé, girofla :
J'irai au bois seulette,
L'amour m'y compt'ra.

LE CHŒUR.

Quoi faire au bois seulette?
Giroflé, girofla :
Quoi faire au bois seulette?
L'amour m'y compt'ra.

SOLO.

Cueillir la violette,
Giroflé, girofla :
Cueillir la violette,
L'amour m'y compt'ra.

LE CHŒUR.

Quoi fair' de la violette?
Giroflé, girofla :
Quoi fair' de la violette?
L'amour m'y compt'ra.

SOLO.

Pour mettre à ma coll'rette,
Giroflé, girofla :
Pour mettre à ma coll'rette,
L'amour m'y compt'ra.

LE CHŒUR.

Si le roi t'y rencontre?
Giroflé, girofla :
Si le roi t'y rencontre?
L'amour m'y compt'ra.

SOLO.

J' lui f'rai trois révérences,
Giroflé, girofla :
J' lui f'rai trois révérences,
L'amour m'y compt'ra.

LE CHŒUR.

Si la rein' t'y rencontre?
Giroflé, girofla :
Si la rein' t'y rencontre?
L'amour m'y compt'ra.

SOLO.

J' lui f'rai trois révérences,
Giroflé, girofla :
J' lui f'rai trois révérences,
L'amour m'y compt'ra.

LE CHŒUR.

Si le diabl' t'y rencontre?
Giroflé, girofla :
Si le diabl' t'y rencontre?
L'amour m'y compt'ra.

SOLO.

Je lui ferai les cornes, | Je lui ferai les cornes,
Giroflé, girofla : | L'amour m'y compt'ra.

Pendant la première, reprise on danse en rond, et pendant la seconde reprise, on fait la chaîne anglaise, comme dans la *Boulangère*.

CHANT. Allegretto.

Qu'est-c'qui passe i _ ci si tard, Com _ pa _ gnons de la Mar _ jo _

PIANO.

_ lai _ ne? Qu'est-c'qui passe i _ ci si tard, Gai, gai, des _ sus le quai?

LE CHEVALIER.

C'est le chevalier du guet,
Compagnons de la Marjolaine,
C'est le chevalier du guet,
Gai! gai! dessus le quai.

TOUS.

Que demand' le chevalier,
Compagnons de la Marjolaine,
Que demand' le chevalier,
Gai! gai! dessus le quai?

LE CHEVALIER.

Une fille à marier,
Compagnons, etc.

TOUS.

N'y a pas d' fille à marier,
Compagnons, etc.

LE CHEVALIER.

On m'a dit qu' vous en aviez,
Compagnons, etc.

TOUS.

Ceux qui l'ont dit s' sont trompés,
Compagnons, etc.

LE CHEVALIER.

Je veux que vous m'en donniez,
Compagnons, etc.

TOUS.

Sur les onze heur's repassez,
Compagnons, etc.

LE CHEVALIER.

Les onze heur's sont bien passées,
Compagnons, etc.

TOUS.

Sur les minuit revenez,
Compagnons, etc.

LE CHEVALIER.

Les minuit sont bien sonnés,
Compagnons, etc.

TOUS.

Mais nos filles sont couchées,
Compagnons, etc.

LE CHEVALIER.

En est-il un' d'éveillée ?
Compagnons, etc.

TOUS.

Qu'est-c' que vous lui donnerez ?
Compagnons, etc.

LE CHEVALIER.

De l'or, des bijoux assez,
Compagnons, etc.

TOUS.

Ell' n'est pas intéressée,
Compagnons, etc.

LE CHEVALIER.

Mon cœur je lui donnerai,
Compagnons, etc.

TOUS.

En ce cas-là, choisissez,
Compagnons, etc.

L'enfant qui représente le chevalier du guet chante seul le deuxième couplet devant un groupe d'enfants qui lui répondent, et ainsi de suite jusqu'à la fin, où il choisit une jeune fille qui se sépare du groupe. Ils s'enfuient tous les deux, poursuivis par les autres enfants.

3

PREMIÈRE RONDE.

Nous le détruirons,
Ma tant', tire, lire, lire;
Nous le détruirons,
Ma tant', tire, lire, lo.

4

DEUXIÈME RONDE.

Laquell' prendrez-vous,
Ma tant', tire, lire, lire,
Laquell' prendrez-vous,
Ma tant', tire, lire, lo?

5

PREMIÈRE RONDE.

Celle que voici,
Ma tant', tire, lire, lire;
Celle que voici,
Ma tant', tire, lire, lo.

6

DEUXIÈME RONDE.

Que lui donn'rez-vous,
Ma tant', tire, lire, lire;
Que lui donn'rez-vous,
Ma tant', tire, lire, lo?

7

PREMIÈRE RONDE.

De jolis bijoux,
Ma tant', tire, lire, lire;
De jolis bijoux,
Ma tant', tire, lire, lo.

8

DEUXIÈME RONDE.

Nous n'en voulons pas,
Ma tant', tire, lire, lire;
Nous n'en voulons pas,
Ma tant', tire, lire, lo!

La première ronde continue en offrant différents objets, tels que joujoux, gâteaux, jusqu'à ce que la deuxième ronde accepte
en disant : Nous en voulons bien, etc.

1

En passant dans un petit bois
 Où le coucou chantait,
 Où le coucou chantait,
Dans son joli chant il disait :
« Coucou, coucou, coucou, coucou »,
Et moi je croyais qu'il disait :
« Cass'-lui le cou, cass'-lui le cou »,
Et moi de m'en coure, coure, cour',
 Et moi de m'en courir !

2

En passant auprès d'un étang
 Où les canards chantaient,
 Où les canards chantaient,
Dans leur joli chant ils disaient :
« Cancan, cancan, cancan, cancan »,
Et moi qui croyais qu'ils disaient :
« Jett'-le dedans, jett'-le dedans »,
Et moi de m'en coure, coure, cour',
 Et moi de m'en courir !

3

En passant d'vant une maison
 Où la bonn' femm' chantait,
 Où la bonn' femm' chantait,
Dans son joli chant ell' disait :
« Dodo, dodo, dodo, dodo »,
Et moi qui croyais qu'ell' disait :
« Cass'-lui les os, cass'-lui les os ».
Et moi de m'en coure, coure, cour',
 Et moi de m'en courir !

1

Je suis un petit poupon
De belle figure,
Qui aime bien les bonbons
Et les confitures.
Si vous voulez m'en donner.
Je saurai bien les manger.
La bonne aventure,
Oh! gai!
La bonne aventure!

2

Lorsque les petits garçons
Sont gentils et sages,
On leur donne des bonbons,
De jolies images.
Mais quand ils se font gronder.
C'est le fouet qu'il faut donner.
La triste aventure,
Oh! gai!
La triste aventure

3

Je serai sage et bien bon,
Pour plaire à ma mère
Je saurai bien ma leçon,
Pour plaire à mon père;
Je veux bien les contenter,
Et s'ils veulent m'embrasser
La bonne aventure,
Oh! gai!
La bonne aventure!

Il s'en allait à la chass',
A la chass' aux z'hannetons;
Quand il fut sur la montagn',
Il partit un coup d' canon.

Et ti ton tain', et ti ton tain',
Et ti ton ton, et ti ton tain'.

Quand il fut sur la montagn',
Il partit un coup d' canon;
Il en eut si peur tout d' mêm',
Qu'il tomba sur ses talons.

Et ti ton tain', et ti ton tain',
Et ti ton ton, et ti ton tain'.

Il en eut si peur tout d' mêm',
Qu'il tomba sur ses talons;
Tout's les dames du villag'
Lui portèrent des bonbons.

Et ti ton tain', et ti ton tain',
Et ti ton ton, et ti ton tain'.

Tout's les dames du villag'
Lui portèrent des bonbons.
Je vous remerci', mesdam's,
De vous et de vos bonbons.

Et ti ton tain', et ti ton tain'
Et ti ton ton, et ti ton tain'.

Savez-vous planter les choux A la mode, à la mode Savez-vous planter les choux A la mode de chez nous?

On les plante avec le pied.
A la mode, à la mode,
On les plante avec le pied
A la mode de chez nous.

On les plante avec la main,
A la mode, à la mode,
On les plante avec la main,
A la mode de chez nous.

On continue en nommant le coude, le nez, etc., et en faisant le geste de planter avec la partie désignée

CHANT.

Allegretto.

C'est la mèr' Mi _ chel qui a per _ du son chat,

PIANO.

Qui cri' par la f'nêtre à qui le lui ren _ dra Et l'compèr' Lus _ tu _ cru qui

lui a ré _ pon _ du: Al _ lez, la mer' Mi _ chel, vot'chat n'est pas per _ du.

C'est la mèr' Michel qui lui a demandé :
Mon chat n'est pas perdu! vous l'avez donc trouvé?
Et l' compèr' Lustucru qui lui a répondu :
Donnez un' récompense, il vous sera rendu.

Et la mèr' Michel lui dit : C'est décidé,
Si vous rendez mon chat, vous aurez un baiser.
Le compèr' Lustucru, qui n'en a pas voulu,
Lui dit : Pour un lapin votre chat est vendu.

GALOP.